Roser Capdevila

Camomille et les Trois Petites Sœurs
chez Hansel et Gretel

Éditions du Sorbier

Aujourd’hui, les Trois Petites Sœurs ont décidé de préparer un énorme gâteau au chocolat pour le dessert.

« Oh ! là ! là ! papa et maman seront bien contents », disent-elles. Mais elles ne savent pas que la sorcière Camomille les surveille...

Soudain, Camomille apparaît dans la cuisine et, feignant d'être très en colère, hurle : « Vous êtes en train de tout salir ! Je suis donc obligée de vous punir. Et, puisque vous aimez tellement le chocolat... vous en aurez pour votre compte, ha, ha, ha ! »

En un clin d'œil, les Trois Petites Sœurs sont transportées par un vent magique, loin, très loin, jusqu'à ce qu'elles atterrissent au beau milieu d'un bois…

…où deux enfants les regardent, étonnés.

Les fillettes devinent très vite dans quel conte elles sont tombées. Aussitôt elles préviennent Hansel et Gretel des dangers de la maison en pain d'épice.
« N'entrez pas, c'est un piège ! Des sorcières vont vous manger ! » leur explique Thérésa.

Mais Hansel et Gretel ne leur font pas confiance et répondent, méprisants :
« Ce n'est pas vrai. Vous dites ça pour garder toutes les sucreries pour vous.
Nous, nous y allons, un point c'est tout ! »

« Entrons par la fenêtre », propose Anna.
« Ainsi, nous pourrons les sauver ! »
Mais une fois à l'intérieur, l'arôme qui se dégage du récipient est si alléchant qu'elles en oublient de se méfier...

D'un coup de lasso, Camomille a ficelé les Trois Petites Sœurs.
« Hum ! elles vont être succulentes ces fillettes ! » s'écrient en chœur les autres sorcières.

« Cette fois, je vous ai bien eues mes trois petites pestes ! Ha, ha, ha ! » ricane Camomille. Pendant qu'elle se réjouit du sort des Trois Petites Sœurs, les autres sorcières sont occupées à faire grossir encore et encore Hansel et Gretel... pour mieux les manger ensuite.

Rassasiés, Hansel et Gretel dorment à poings fermés. Quelle aubaine pour les sorcières ! Elles vont pouvoir tous les manger. Et pour assaisonner leur ragoût d'enfants, elles sont sorties ramasser des herbes aromatiques. Mais, bientôt les Trois Petites Sœurs vont trouver la solution pour s'échapper...

Pendant ce temps, la sorcière de la maison montre à ses amies les plans du garage qu'elle veut faire construire pour y ranger ses balais magiques. Sans se douter que les Trois Petites Sœurs...

...ont mangé les barreaux en sucre de leur cage et sont allées réveiller Hansel et Gretel sans perdre de temps.
« Allez, dépêchez-vous ! Nous devons nous échapper avant que les sorcières ne reviennent ! »

Soudain, Thérésa voit s'approcher un homme menant une charrette. « Ce doit être papa qui nous cherche », dit Hansel. « J'ai une idée ! » s'exclame Héléna.

Sans faire le moindre bruit, les Trois Petites Sœurs démontent toute la maison et la chargent dans la charrette. « Hi, hi, hi !... Elles auront une drôle de surprise ces sottes ! » disent les fillettes en riant en silence.

Hansel et Gretel disent au revoir aux Trois Petites Sœurs en les serrant fort dans leurs bras. Anna, Thérésa et Héléna, elles, préfèrent rester pour voir la tête que feront les sorcières. La première chose qu'elles entendent, c'est le cri de Camomille : « Aaaah ! Ça c'est l'œuvre des Trois Petites Sœuuuuuurs ! »

Il faut vite prendre la poudre d'escampette !
Les sorcières sont à leurs trousses ! Ouf !
au moment de se faire rattraper, les fillettes
voient trois canards au bord de la rivière.
« Eh ! les amis ! vous voulez bien nous
rendre service ? » crie Thérésa.

Une fois de plus, elles ont déjoué les plans de la sorcière Camomille. Ah ! Et le voyage de retour à dos de canard a été très amusant ! Maintenant, il ne leur reste plus qu'à savoir si leur gâteau au chocolat est réussi...

Titre original en espagnol :
Las Tres Mellizas y los Cuentos Clásicos
Hansel y Gretel

Illustrations : Roser Capdevila
Texte : Mercè Company

www.cromosoma.com
www.troispetitessœurs.com
Connectez-vous sur : www.lamartiniere.fr

2, rue Christine – 75006 Paris
ISBN : 2-7320-3799-0
Conforme à la loi n° 49-956 du 16 juillet 1949
sur les publications destinées à la jeunesse
Dépôt légal : mars 2004
Imprimé chez Gràfiques Maculart, Barcelone